Um obrigada especial a Anna Bowles.

Para Emma Collier,
que adora brincar na neve!

CIP-BRASIL. CATALOGAÇÃO NA PUBLICAÇÃO
SINDICATO NACIONAL DOS EDITORES DE LIVROS, RJ

B169m
    Banks, Rosie
    A montanha mágica / Rosie Banks ; ilustração Orchard Books ;
Tradução Monique D'Orazio. – 1. ed. – Barueri, SP : Ciranda Cultural,
2016.
    128 p. : il. ; 20 cm. (O reino secreto)

    Tradução de: Magic mountain
    ISBN 9788538061137

    1. Ficção infantojuvenil inglesa. I. Orchard Books. II. D'Orazio,
Monique. III. Título. IV. Série.

16-32913   CDD: 028.5
                                                CDU: 087.5

1ª Edição
www.cirandacultural.com.br

A Montanha Mágica

ROSIE BANKS

Ciranda Cultural

Sumário

Uma aventura noturna

— Eu sou a rainha Malícia! Peguem as meninas, Morceguinhos da Tempestade! — gritou a menina de preto, afastando do rosto os cabelos compridos e escuros. Duas pequenas criaturas de asas negras entraram correndo no quarto e deram uma gargalhada malvada.

Summer Hammond e Ellie Macdonald deram gritinhos agudos e se esconderam atrás do grande sofá do quarto de brinquedos. A menina de preto era a amiga delas, Jasmine, vestida com um lençol velho e acenando um

relâmpago de cartolina colado a uma vara pintada. A sua encenação era tão boa que parecia que a terrível rainha Malícia estava mesmo ali naquele quarto!

Os Morceguinhos da Tempestade eram os irmãos mais novos de Summer, Finn e Connor, vestidos para se parecerem com os ajudantes horríveis da rainha Malícia, que tinham pele cinzenta e dedos pontudos. Ellie tinha enfiado toalhas velhas dentro da camiseta deles e dobrado de uma forma que parecessem asas de morcego.

Os meninos gritaram entusiasmados e cruzaram o cômodo para pegar as pernas de Summer, que tentava se encolher atrás do sofá.

— Peguei você! — disse Connor, com uma risadinha.

— É o que você pensa — riu Summer, pulando e lhe fazendo cócegas. Ellie fez o mesmo com Finn.

— Morceguinhos tolos! — disse Jasmine, usando uma voz dramática. — Será que eu tenho de fazer tudo sozinha?

Ela espetou Summer, de brincadeira, com a vara do relâmpago.

— Connor, Finn! Hora do banho! — chamou o padrasto de Summer, da cozinha.

Summer soltou Connor e foi até a porta.

— Eles já vão! — ela gritou de volta e depois se virou para os irmãozinhos. — Desculpe, gente, temos que parar a brincadeira.

– Mas eu quero ser um Morceguinho
da Tempestade – disse Finn, de três anos,
fazendo beicinho.

– Morceguinhos da Tempestade não são
de verdade, bobinho – disse Connor, o irmão
de cinco anos, com desprezo.

Summer sorriu para Jasmine e Ellie, por
cima da cabeça dos meninos. Mal sabiam
eles que os Morceguinhos da Tempestade
eram, sim, de verdade e que viviam numa
terra mágica chamada Reino Secreto!

Tratava-se de um lugar maravilhoso
cheio de fadas, unicórnios, sereias e todo tipo
de criaturas mágicas, só que havia problemas
por lá, e apenas Ellie, Summer e Jasmine
poderiam ajudá-lo.

Tudo começou quando as meninas
encontraram uma caixa mágica no bazar
da escola. A caixa tinha transportado o
rei Felício, governante do Reino Secreto,

e sua fadinha real, Trixi, para o mundo
dos humanos. Então, o rei Felício e Trixi
pediram a ajuda das meninas para impedir
que a rainha Malícia, a malvada irmã do rei,
causasse problemas ao reino.

A rainha Malícia ficou tão zangada
quando seu irmão foi escolhido para
governar o Reino Secreto que escondeu
seis relâmpagos terríveis por todo o reino.
Também lançou feitiços em cada relâmpago
para que causassem o caos e arruinassem
toda a diversão do reino.

Jasmine, Ellie e Summer já tinham
encontrado quatro relâmpagos e quebrado
seus feitiços maléficos. Porém, enquanto elas
não recebiam uma mensagem da Caixa
Mágica, tudo o que podiam fazer era
brincar de enfrentar a rainha Malícia
e os Morceguinhos da Tempestade!

Summer, Ellie e Jasmine ajudaram Finn e Connor a tirar as fantasias e depois os mandaram para o banho.

As meninas subiram para o quarto de Summer para ver um filme. Quando passaram pela grande janela do corredor, viram que estava escuro lá fora e parecia que ia começar a nevar.

– Talvez a gente tenha neve esta noite de novo – disse Jasmine, esperançosa.

– Brrrr... Clima perfeito para uma festa do pijama! – brincou Ellie, afastando os cabelos ruivos encaracolados do rosto, enquanto elas observavam o jardim sombrio.

Entraram no quarto de Summer, que tinha as paredes pintadas em um tom amarelo-claro e cobertas por vários pôsteres de animais. Summer vestiu seu velho pijama amarelo florido, que era o mais confortável, Ellie se enfiou no seu pijama verde e roxo, e ambas ficaram admiradas ao ver o de

Jasmine, que era uma bermuda e regata; era novinho e cheio de bolinhas cor-de-rosa.

– Que filme a gente vai ver? – perguntou Summer, dando uma olhada na pilha de DVDs.

Só que Jasmine e Ellie não estavam prestando atenção. Elas haviam pegado a Caixa Mágica do meio de uma fileira de livros e pilhas de brinquedos, na alta estante de Summer, e colocado o objeto em cima do saco de dormir de Ellie.

A Caixa Mágica tinha mais ou menos o tamanho de uma caixa de joias. Suas laterais de madeira eram entalhadas com imagens de criaturas mágicas e, sobre a tampa curvada, havia um espelho rodeado por seis lindas pedras preciosas verdes.

— Eu sei o que eu gostaria de ver, a Caixa Mágica brilhando! — disse Ellie.

— Isso mesmo! E um enigma aparecendo nela para nos dizer onde está o relâmpago! — concordou Jasmine, tocando os entalhes com a ponta dos dedos.

Jasmine deitou de barriga para baixo olhando para a caixa e se concentrou bastante para que aparecesse uma mensagem,

até que seus olhos começaram a encher de água.

– Não está acontecendo nada! Vamos colocar um filme – disse por fim.

Summer colocou um DVD, e as meninas riram tanto que a Sra. Hammond teve que entrar e dizer que era hora de dormir. Depois disso, as três amigas começaram a conversar baixinho por algum tempo até que, uma por uma, pegaram no sono.

No meio da noite, Summer acordou de repente. Piscando sonolenta, ela olhou em volta para tentar descobrir o que a havia perturbado.

Ellie e Jasmine estavam encolhidas em sacos de dormir no chão, e tudo parecia normal. Então Summer percebeu o que estava estranho: ela conseguia enxergar tudo! Em vez da escuridão da noite, seu quarto estava iluminado por um brilho suave.

"Mas ainda não é de manhã" – ela pensou. Então desviou o olhar para a estante, e seu coração pulou de entusiasmo. A luz vinha da Caixa Mágica!

De repente, sentindo-se bem desperta, ela escorregou para fora da cama e andou com cuidado entre os dois sacos de dormir que ocupavam quase todo o chão. Com as mãos trêmulas, ela cutucou Ellie e Jasmine.

– A Caixa Mágica está brilhando! – ela sussurrou, esticando as mãos para alcançar a caixa.

Ellie e Jasmine acordaram e pularam para fora dos sacos de dormir.

Quando as meninas se reuniram ao redor do objeto mágico, uma luz brilhou em seus rostos, e algumas palavras começaram a tomar forma no espelho sobre a tampa:

Lá, os duendes não correm, deslizam.

Lá, são as pranchas que utilizam.
Bochechas vermelhas e fumaças brancas
vocês encontrarão.
Esta noite, é lá que está a diversão!

— Duendes que surfam? — sussurrou Summer, na dúvida. — Isso explicaria as pranchas, mas não as bochechas vermelhas e a fumaça branca.

— Já sei! — exclamou Ellie. — O surfe não é o único esporte que usa pranchas. No mês passado, meu tio foi esquiar na neve usando uma prancha!

— E quando está frio e há neve, a gente solta fumacinha branca quando respira, e nossas bochechas ficam vermelhas! — Jasmine gritou.

— Xiiiu! Cuidado para não acordar minha mãe! — disse Summer, segurando o riso.

— Desculpe — sussurrou Jasmine o mais baixo que conseguia. — Acho que a gente vai para onde os duendes esquiam!

— Olhem, a Caixa Mágica está se abrindo — apontou Ellie.

As meninas observaram a tampa curvada se levantar e revelar seis pequenos compartimentos. Quatro deles já estavam preenchidos por presentes incríveis que elas tinham recebido por terem ajudado o Reino Secreto. Havia um mapa mágico que se mexia e mostrava o que estava acontecendo por todo o reino, um pequeno chifre prateado de unicórnio, que lhes permitia conversar com os animais, um lindo cristal que podia controlar o clima, e uma pérola que deixava invisível por algum tempo quem a segurasse.

Ellie colocou a mão dentro da caixa com cuidado e pegou o mapa que tinham

recebido do rei Felício na primeira visita.
Ela o abriu sobre o saco de dormir para que
fosse iluminado pelo brilho da Caixa Mágica.

Summer e Jasmine se inclinaram para a
frente, ansiosas.

– Será que é aqui? – indagou Ellie,
apontando. Bem na base da ilha em formato
de meia-lua havia uma montanha enorme,
coberta por neve cintilante
cor-de-rosa! Enquanto as
meninas observavam, o
mapa mostrou os flocos
rosados de uma
neve pesada
caindo ao redor
da montanha. Na
base do monte havia
um pequeno povoado
que mal dava para ver.

– Ali está o nome do lugar, mas o que está escrito? Está tão escuro que não consigo enxergar – murmurou Summer.

Jasmine se inclinou por cima do mapa e espiou bem de perto.

– Já sei! – gritou. – Chama-se Montanha Mágica.

– Xiiu! – sussurrou Summer, franzindo as sobrancelhas para a amiga.

Jasmine se sentou para trás e cobriu a boca com a mão. As meninas apuraram os ouvidos, mas não perceberam som algum no resto da casa.

– Ufa… – sussurrou Ellie.

As três amigas colocaram a palma das mãos sobre as lindas pedras verdes. Jasmine se inclinou de novo para a frente e, numa voz bem baixinha, disse a resposta do enigma:

– Montanha Mágica – falou tão baixo
que as outras mal conseguiram ouvir.

Tudo ficou em silêncio por um momento,
mas depois ouviu-se um estranho farfalhar.
Parecia vir de trás da cortina de Summer.

De repente, as duas metades da cortina
estremeceram e se
abriram. Então, do
meio delas entrou
voando uma bela
fadinha minúscula
em cima de uma
folha! Seus cabelos
loiros bagunçados
despontavam por
debaixo de um
chapéu de flor, e seu
vestido era feito de
pequenas folhas verdes,

costuradas perfeitamente umas nas outras.
Ela estava coberta por uma linda capa fofa e
quentinha e, no dedo, tinha um anel que muito
reluzia como uma estrela no céu noturno.

– É a Trixibelle! – sussurrou Summer,
toda contente.

– Minha nossa! – sussurrou a fadinha.
– Acho que voltei ao Outro Reino. Mas está
tão escuro! Meninas, onde vocês estão?

Trixi deu uma batidinha no anel, e o
cordão de luzinhas pendurado no topo das
cortinas de Summer de repente iluminou o
quarto com um lindo brilho rosado.

– Achei mesmo que essas luzes pareciam
mágicas! – Ellie riu.

– Estas são luzinhas de fada! – disse Trixi
sorrindo ao voar na direção de cada uma das
meninas para cumprimentá-las com um beijo
na ponta do nariz.

– Já descobrimos onde está o próximo relâmpago, Trixi. Na Montanha Mágica – falou Summer para a amiguinha fada, toda animada.

– A terrível rainha Malícia! Temos que ir agora mesmo – murmurou a fadinha, chateada. Ela quase tocou o anel, mas hesitou, em seguida olhou para as meninas. – Ah, mas vocês não podem ir vestidas assim! Fiquem paradinhas um instante.

Houve um brilho rápido de luz e um som cristalino. As meninas baixaram os olhos e descobriram que estavam vestindo casacos, botas, cachecóis, luvas e protetores de orelha, tudo da cor dos pijamas! Na cabeça delas, estavam as tiaras reluzentes que apareciam num passe de mágica sempre que elas visitavam o Reino Secreto. As tiaras indicavam, para todos que as viam no reino, que elas eram Amigas Muito Importantes do rei Felício.

– Perfeito – aprovou Trixi. – Agora estamos prontas para a neve!

A Montanha Mágica

Trixi deu uma batidinha em seu anel para invocar o redemoinho mágico que transportaria todas elas para o Reino Secreto, e cantarolou:

– *A rainha má planejou uma guerra. Ajudantes corajosas, voem para salvar nossa terra!*

Ellie se agarrou à Jasmine e tentou não se preocupar quando sentiu o corpo despencando no ar. Se aquela noite tinha alguma coisa parecida com as outras visitas ao reino, as amigas tinham certeza de que iriam aparecer lá no alto do céu, e Ellie tinha medo de altura!

Mas quando o vento passou, Ellie sentiu algo sólido debaixo dos pés.

– Ufa, ainda bem! – exclamou e abriu os olhos. Porém, logo em seguida, ela desejou que não os tivesse aberto!

O redemoinho havia colocado as amigas bem no topo daquela montanha coberta de neve que tinham acabado de ver no mapa. Ellie enxergava a cidadezinha lá longe, na base da montanha, e o lugar parecia minúsculo visto de tão alto.

Já estava amanhecendo no Reino Secreto, e o sol começava a subir aos pouquinhos entre os picos das montanhas, fazendo os flocos de neve cintilarem no ar.

– É tão lindo! – Jasmine exclamou, impressionada.

– Trixi, vamos ter que ir até lá embaixo? – perguntou Summer, apontando na direção do vilarejo.

– Vamos. Mas não se preocupem, não vai demorar nadinha! – respondeu Trixi, sorrindo. A fada deu uma batidinha no anel e, de repente, cada uma das meninas estava com um par de esquis presos aos pés. Os de Summer eram amarelos, os de Jasmine eram cor-de-rosa, e os de Ellie eram roxos.

– Iupiiii! – gritou Jasmine, impulsionando o corpo com os bastões de esquiar e deslizando montanha abaixo.

— Jasmine, volte aqui! Não sei esquiar! — berrou Ellie, alarmada.

— Parece que a Jasmine também não sabe — comentou Summer. — Mesmo assim, ela está descendo.

Jasmine virou-se e acenou alegremente para as amigas, mas não tinha como esquiar montanha acima para se juntar às meninas de novo.

— Não se preocupem — disse Trixi. — Vou colocar um encanto nos esquis para ter certeza de que vocês vão descer em segurança pela encosta da montanha.

Ela apontou o anel na direção dos pés das meninas e disparou uma explosão de pó cintilante que caiu sobre os esquis.

— Prontinho. Experimentem.

— Certo, então pode me dar um empurrão! — Ellie disse para Summer.

Summer deu um empurrão suave em Ellie e depois disparou pelo declive atrás dela. Era um pouco assustador, mas os esquis mágicos

funcionavam muito bem. Os pés de Summer e Ellie continuaram firmes sobre a neve, e logo elas alcançaram Jasmine.

Conforme esquiavam, uma ao lado da outra, as meninas iam admirando a paisagem ao redor.

– Quero andar naquilo ali! – disse Jasmine, apontando para um conjunto de pistas compridas de gelo que iam serpenteando até a base da montanha.

Summer não respondeu. Estava ocupada observando uma manada de renas que galopavam pelos céus em direção a um bosque distante. Durante o voo, seus cascos soltavam fagulhas mágicas!

— Nunca pensei que um dia eu veria renas voadoras! — Ellie sorriu.

As meninas foram esquiando pela montanha, rumo ao vilarejo que havia lá embaixo. Era um cenário invernal perfeito, com lindas casas e cafés cobertos de neve, todos reunidos em volta de uma praça central. Havia até iglus cintilantes, pequenininhos e cor-de-rosa, exatamente como a neve da qual eram feitos.

– Até mesmo os cafés parecem bolas de neve! – falou Ellie, sorrindo.

Quando Summer deu uma olhada pelo lindo vilarejo, teve uma sensação esquisita.

– Ué, cadê todo mundo? – perguntou, cautelosa.

Os cafés bola de neve estavam fechados. Havia várias pranchas de esquiar, trenós e esquis do lado de fora, como se tivessem sido abandonados em meio a uma correria. Um vento assustador assobiava por toda a encosta da montanha.

– Que estranho... A Montanha Mágica normalmente é bem mais movimentada do que isso aqui – disse Trixi, que voava ao lado das meninas.

– Deve ter alguma coisa a ver com o relâmpago da rainha Malícia. É melhor a gente ver se consegue encontrá-lo – disse Jasmine.

Elas continuaram descendo uma encosta ladeada por esculturas de gelo realistas. Havia uma rena, pinguins e focas, e até mesmo um grande urso-polar.

– Ei! Tenho certeza de que aquele pinguim acabou de acenar pra mim! – disse

Jasmine apontando para uma das estátuas e franzindo a testa.

— Seria de se esperar que fizesse mesmo isso — disse Trixi, sorrindo. — Essas são estátuas mágicas feitas pelos duendes da neve. É por causa deles que a Montanha Mágica é um lugar tão divertido para a gente visitar.

As meninas correram para olhar as estátuas mais de perto.

— Oi! — disse Ellie, apertando a pata congelada do urso-polar.

O urso mexeu a cabeça de um lado para o outro. Parecia estar procurando por alguma coisa.

— Você está se perguntando para onde foram todos os duendes? – disse Jasmine.

A estátua confirmou balançando a cabeça.

— Não se preocupe, vamos descobrir o que está acontecendo – Summer disse a ele.

À medida que as meninas continuavam esquiando, Trixi voava de um lado para o outro pela rua, espiando através das janelas fechadas dos iglus aconchegantes, nas duas margens da rua.

— Brrr – fez Summer, batendo os dentes. Mesmo usando um casaco quentinho de esquiar e protetores de orelha, ela continuava morrendo de frio. – Acho que os duendes da neve devem estar em algum lugar tentando se aquecer.

— Mas você não acha que os duendes da neve gostam do frio? – perguntou Jasmine.

– Eles gostam, mas, quando fica frio demais, a neve se transforma em gelo. E a mesma coisa acontece com os duendes da neve – Trixi disse, tristonha. – Eles usam colares de brasas para se manterem bem quentinhos quando estão brincando ao ar livre. Usam as brasas infinitas de carvão, inclusive para aquecer os iglus e os cafés. As brasas são mágicas, elas mantêm todos aquecidos, mas não fazem a neve derreter.

– Parece legal. Acho que também precisamos encontrar uns colares de brasas infinitas para nos aquecermos! – disse Jasmine, tremendo.

Trixi olhou em volta para todos os iglus vazios.

– Normalmente há vários duendes por aqui, mas não sei para onde eles foram.

Ela suspirou e depois se alegrou.

– Já sei! Vamos falar com o rei Felício no palácio de inverno. Ele deve saber o que aconteceu. Todo inverno ele vem esquiar na Montanha Mágica, mesmo que não seja muito bom nisso – ela deu uma piscadinha para as amigas.

— Ano passado ele caiu tantas vezes que provocou uma avalanche! — Trixi acrescentou com uma risadinha.

Ellie, Summer e Jasmine sorriram, com os dentes tiritando. As meninas sempre ficavam felizes em ver seu amigo rei. E sairiam do frio congelante com todo prazer, é claro!

No caminho ao palácio, esquiaram às margens de um grande lago coberto de gelo muito transparente.

— Alguma coisa está muito errada — disse Trixi. — Aquele é o Lago de Patinação no Gelo. Sempre há duendes brincando nele. Eu nunca tinha visto este lugar vazio.

— Bom, não tem ninguém aqui agora — observou Summer, sentindo-se triste.

— E eu já sei o motivo. Olhem! — Ellie disse muito séria e apontou para um monte de neve ao lado do lago.

Trixi, Summer e Jasmine se viraram para ver o que Ellie estava apontando. Ali, espetado no monte de neve, estava o horrível relâmpago negro da rainha Malícia!

Brasas infinitas

As meninas observavam a forma preta serrilhada.

— Vamos encontrar o rei Felício logo e descobrir um jeito de quebrar esse relâmpago terrível — disse Jasmine.

— Estamos quase no palácio de inverno — falou Trixi, para encorajá-las. E conforme

passavam pelo lago, as meninas já conseguiam enxergar o edifício real logo adiante.

Embora Ellie estivesse preocupada com o relâmpago, não podia deixar de admirar o palácio. Tinha uma grande torre central cercada por seis torres menores, conectadas a ela por passagens delicadas de gelo cintilante. Dezenas de janelas em formato de flocos de neve pontuavam as paredes, cada uma com uma camada de neve acumulada no parapeito.

A porta frontal também tinha o formato de um floco de neve. Quando Trixi bateu nela com o anel, a porta tremeu e fez um som cristalino que ecoou por toda a cidade vazia.

As meninas ouviram o som até que ele desaparecesse e esperaram que alguém viesse abrir a porta. O problema era que nada parecia estar se mexendo em lugar nenhum na Montanha Mágica.

– Onde é que está todo mundo? – Trixi falou. Ela se afastou da porta de floco de neve e apontou o anel, entoando:

– *Estas meninas estão aqui para nos salvar, por isso não tente o caminho delas bloquear!*

Com um rangido a porta girou e se abriu, revelando um corredor grandioso. Porém, o caminho lá dentro estava completamente escuro!

As três meninas tiraram os esquis e, muito nervosas, seguiram Trixi, que voava na frente. Havia vários corredores que conduziam para todas as direções, e um grande lustre de gelo pendurado no teto, com muitos candelabros. O problema era que tudo estava sombrio e escuro. Pior ainda, ali dentro estava quase tão frio quanto do lado de fora!

– Olá? – chamou Ellie. Sua voz ecoou pelas paredes cobertas de gelo de modo assustador.

– Rei Felício? – gritou Jasmine.

Então, ouviram um barulho vindo de uma passagem à esquerda.

– É ali que fica a sala do trono! – disse Trixi, alarmada.

As garotas saíram correndo em direção ao som.

Summer correu na frente, depois parou para descansar. Logo adiante havia um salão enorme cheio de duendes, todos juntinhos uns dos outros para se aquecerem. Seus dentes tiritavam e suas carinhas estavam azuladas por causa do frio. No meio deles estava o pobre rei Felício, tremendo muito.

O rei parecia mais pesado do que o normal. Seu cabelo branco encaracolado

estava coberto por um enorme chapéu fofinho com longos aquecedores de orelha, e sua coroa estava empoleirada no topo de tudo isso.

Quando as meninas se aproximaram, viram por que ele parecia tão gorducho. Ele devia estar usando todas as suas roupas ao mesmo tempo!

– T-t-Trixi! M-meninas! Estou tão f-feliz por v-v-ver vocês – gaguejou o rei,

abraçando a si mesmo e sacolejando no lugar.

— Vossa Majestade está congelando! — observou Summer, com pena e esfregando o braço do rei Felício para aquecê-lo.

— Eu posso ajudar — disse Trixi, voando alto sobre os duendes que tremiam. Ela começou a lançar encantos tão depressa quanto conseguia. Toda vez que ela batia no anel, aparecia um gorro, um cobertor enrolado ou um par de meias de lã quentinhas.

Os duendes ergueram os olhos e viram os gorros coloridos de lã caindo no ar. Havia um para cada duende, personalizado com nome e com diferentes estampas de flocos de neve.

Conforme foram colocando os gorros quentes e se aconchegando nos cobertores, os duendes pareciam mais felizes, e suas orelhas assumiram um tom rosa-vivo.

– Obrigado! – disse um dos duendes, colocando a cabeça para fora do cobertor que o havia soterrado completamente. Assim como seus amigos, ele tinha mais ou menos a metade da altura das meninas. Sua pele era rosada, as orelhas eram pontudas, e os cabelos eram curtos. No seu gorro estava escrito o nome Nevasca. – Vocês vieram ajudar a gente? Passamos a noite toda aqui amontoados uns nos outros para nos aquecer. Eu fiquei com muito medo de que a gente se transformasse em gelo!

— Não se preocupem — disse Jasmine, abaixando-se para falar com ele. — Estamos aqui para ajudar. Vocês sabem o que aconteceu?

— São as brasas infinitas! Apagaram todas! — ele disse olhando para Jasmine, preocupado.

Ele apontou para uma grande lareira do outro lado do salão. Tinha uma pilha alta de bolotas cinzentas empoeiradas. Enquanto as meninas observavam, uma das bolotas rolou do topo da pilha e caiu no chão. Aterrissou com um pequeno baque e se quebrou em dois pedaços.

— Até mesmo as brasas dos nossos colares estão frias — disse Nevasca, levantando uma longa corrente que trazia em volta do pescoço. Na ponta dela havia um carvão cinzento empoeirado e apagado.

— E se a gente ficar com frio demais, vai se transformar em gelo! — disse outro duende.

Os duendes da neve olharam para as meninas com carinha tristonha.

— E se a gente fizesse uma fogueira para aquecer os carvões? — Ellie sugeriu para Trixi.

— Vou tentar. Agora, para trás! — disse a fadinha, enrugando as sobrancelhas com determinação.

Ela voou até a lareira e mirou o anel. Um fluxo de fagulhas vermelhas crepitantes saiu dele e atingiu a pilha de carvões, mas todos continuaram cinzentos e escuros.

— Então é isso — disse Trixi, cruzando os braços, contrariada. — Se minha mágica não consegue resolver, quer dizer que só pode ser coisa daquele relâmpago malvado.

— Relâmpago? Vocês encontraram outro? — perguntou o rei Felício.

— Encontramos — Jasmine afirmou, desanimada. — Lá fora, perto do Lago de Patinação no Gelo.

– Parece que, mais uma vez, minha irmã está tramando algo ruim. Temos que encontrar um jeito de quebrar o feitiço dela! – o rei disse enrugando a testa.

– Os outros relâmpagos se quebraram quando impedimos que a rainha Malícia

arruinasse as coisas – falou Summer. – Talvez, se a gente encontrar um jeito de reacender as brasas infinitas, isso quebre o feitiço da rainha Malícia.

– Agora já é de dia e está ficando mais quente – disse Ellie. – A gente não poderia simplesmente empilhar os carvões na luz do sol?

– Acho que não seria quente o bastante para acendê-los, mesmo que o dia esteja ensolarado – disse outro duende, que estava usando um gorro com o nome Nevisco bordado.

De repente, uma gargalhada horrível ecoou lá fora. As meninas correram para espiar por uma das janelas em formato de floco de neve. Do outro lado da praça, viram um enorme trenó puxado por dois lobos com olhos vermelho-vivos e dentes muito grandes.

Uma figura alta e sombria estava em pé sobre o trenó, olhando fixo para o palácio. Ela usava uma coroa pontiaguda na cabeça, empoleirada sobre uma massa de cabelos crespos. Seu vestido preto farfalhava ao seu redor por causa do vento de inverno. Em sua mão havia um cetro pontudo que ela usou para incitar os lobos a seguir mais depressa.

– É a rainha Malícia! – sussurrou Ellie.
– Ela está vindo para cá!

Ela sentiu a mão de Nevasca chegar perto da sua e então a segurou firme.

A rainha Malícia espiava pelas janelas em formato de flocos de neve enquanto passava por elas.

– Abaixem-se, rápido! – Jasmine cochichou e se jogou no chão para que a rainha não pudesse vê-la.

Todos se abaixaram depressa, sentindo o coração disparar.

– Vossa Majestade! – sussurrou Trixi, apontando para a cabeça dele. – Sua coroa ainda está muito no alto. A rainha Malícia vai conseguir vê-la pela janela!

O rei Felício arrancou a coroa da cabeça, mas já era tarde demais. De repente, ouviu-se uma risada estridente vindo lá de fora.

– Não adianta tentar se esconder, querido irmão! Estou vendo sua coroinha sem graça! – exclamou a rainha Malícia. – Não há nada que você ou suas irritantes garotas humanas possam fazer. As brasas infinitas se apagaram, e logo seus preciosos duendezinhos da neve vão virar picolé! Então, não vai mais ter ninguém para cuidar da Montanha Mágica, e ninguém no Reino Secreto poderá se divertir na neve!

A rainha riu de novo, e os lobos se uniram a ela soltando uivos longos e melancólicos que fizeram todos sentirem arrepios.

– Não temos medo de você! – gritou Jasmine, levantando-se.

– Vamos encontrar um jeito de manter os duendes bem aquecidos! – acrescentou Ellie, pulando ao lado dela.

– Ah, não vão, não! Não quando ficar ainda mais frio! – disse a rainha Malícia em tom raivoso, do outro lado da janela. Ela se virou, mirou o cetro pontudo no pico da montanha e disparou um relâmpago no céu.

O relâmpago atingiu uma gorda nuvem cinza, que cobriu o sol. A luz desapareceu no mesmo instante, e o céu se tornou nublado e cinzento.

– Sem as brasas e sem o sol quentinho, vamos virar gelo! – choramingou Nevasca, estremecendo.

Summer o abraçou e depois se levantou para olhar feio para a rainha Malícia.

A rainha má desferiu um sorriso cruel para Jasmine, Ellie e Summer, depois bateu com o cetro na base do trenó.

Os lobos saltaram para a frente e a rainha Malícia gargalhou ao ser levada pelas ruas vazias da Montanha Mágica.

– Se a gente não encontrar logo uma forma de reacender as brasas infinitas – disse Jasmine, com um arrepio –, a Montanha Mágica estará arruinada para sempre!

A ideia de Summer

— Temos que salvar os duendes! — disse Trixi, tremendo tanto que sua folha tremia junto.

— Mas como? — perguntou Ellie, puxando o casaco verde e roxo junto ao corpo. — Está tão frio que eu mal consigo pensar!

— Puxa vida — disse Trixi. — Deve ter alguma coisa que eu possa fazer para aquecer vocês, meninas... Já sei!

Ela deu uma batidinha no anel e canecas de chocolate quente apareceram no chão, na frente de todos. Agradecido, o pessoal pegou as canecas, mas assim que Jasmine deu um gole, quase derrubou a xícara no chão.

– Ah, não! Não é chocolate quente, é chocolate frio! – disse ela.

— Desculpem, meninas — disse Trixi, tristonha. — Estou com tanto frio que isso está confundindo minha mágica. Não estou conseguindo deixar nada quente!

— Se ao menos a gente estivesse com o cristal que o pessoal na Ilha das Nuvens nos deu… — disse Ellie, pensativa. — A gente poderia controlar o clima para se livrar dessa nuvem de nevasca.

Então ela deu um passo para a frente e tropeçou em alguma coisa.

— Ops, cuidado! — riu Jasmine, segurando a amiga.

— Tenho certeza de que isso não estava aqui antes — disse Ellie, curvando-se para ver o que havia no chão. — Ei! É a Caixa Mágica! — ela pegou a caixa do chão e mostrou às outras.

— A caixa devia saber que a gente precisava do cristal. Olhem, está se abrindo! — exclamou Summer.

Ellie esperou a tampa se erguer devagar. Então apanhou o cristal do clima e o segurou na sua frente. A joia mágica brilhou quando Ellie a segurou firme e pensou em raios de sol quentinhos. De repente, a sala do trono começou a ficar mais clara e mais quente quando um buraco se abriu no meio da nuvem de tempestade, deixando que o sol brilhasse através dele.

— Assim está melhor! — falou Jasmine quando Ellie colocou, com cuidado, o cristal do clima de volta dentro da Caixa Mágica. Com um lampejo de luz e um som de sininhos, a caixa desapareceu.

— Lembrem-se, os climáticos disseram que a mágica do cristal não dura muito — Trixi alertou as meninas. — Ainda precisamos encontrar uma forma de reacender as brasas de uma vez por todas!

Ellie cutucou Jasmine e apontou para Summer, que havia se afastado e se sentado ao lado dos carvões frios. Seu queixo estava apoiado no punho e ela estava pensativa.

— Acho que Summer está tendo uma ideia — constatou Ellie.

As duas meninas caminharam até lá e se sentaram ao lado da amiga. Nevasca e Nevisco vieram se sentar com elas também.

— Tem uma coisa que meu padrasto me mostrou quando a gente foi acampar no verão passado — disse Summer. — Era um jeito especial de acender uma fogueira. Tinha alguma coisa a ver com a luz do sol... Eu queria conseguir me lembrar o que era!

De repente, os rostinhos de Nevasca e de Nevisco se iluminaram com grandes sorrisos.

— Podemos ajudar com isso. Olhem só! — sorriu Nevasca.

Os dois duendezinhos ficaram um de cada lado de Summer, que ainda estava olhando para os carvões cinzentos. Eles uniram as mãos sobre a cabeça dela e cantarolaram:

— Encanto cerebral, encanto cerebral,
Summer vai ter uma ideia genial!

Enquanto os duendes diziam isso, flocos de neve cor-de-rosa apareceram no ar e dançaram ao redor da cabeça de Summer.

Os olhos da menina se iluminaram, e ela se levantou num salto.

— Agora eu me lembro! — comemorou.

— A gente pode começar uma fogueira usando uma lupa. É só segurar contra o sol e fixar em um ponto até começar a ficar bem quente. Quente o bastante para acender uma chama... ou reacender algumas brasas!

Jasmine olhou incrédula para a pilha de carvões frios e cinzentos na lareira que eram as brasas infinitas.

— Mas a gente não precisaria de uma lupa incrivelmente grande? — perguntou ela.

— A gente pode usar qualquer coisa que seja transparente — respondeu Summer.
— Como a lente dos óculos de alguém…

— Ou gelo! — Ellie exclamou, entendendo a ideia da amiga.

— A gente poderia usar o gelo do Lago de Patinação no Gelo! — gritou Jasmine.

— Isso, perfeito! — disse Summer.

— Pode funcionar direitinho — disse Nevasca, sorrindo para as meninas.

Os outros duendes comemoraram.

— Vamos logo — disse Jasmine. — Não sabemos quanto tempo o encanto do cristal do clima vai durar, e temos muito a fazer

antes que o sol desapareça outra vez atrás daquela nuvem horrível de tempestade.

As meninas explicaram o plano para Trixi e para o rei, e todos eles saíram correndo do palácio e seguiram para o lago.

— Mas o gelo não vai derreter no sol? — perguntou o rei Felício, olhando para os raios brilhantes que atravessavam o buraco na nuvem escura.

— Acho que não — disse Summer. — A lupa do meu padrasto não esquentava, ela só conduzia todo o calor para fazer a fogueira.

— Oh, esplêndido! — exclamou o rei, agarrando seus mantos ao redor do corpo à medida que seguiam pela rua cheia de vento. — Genial! Então vamos colocar as brasas infinitas sobre o lago para congelarem!

— Hum… não. Acho que o que Summer quis dizer foi… — começou Ellie.

O rei sacudiu as mãos no ar, como se quisesse dizer que finalmente entendia.

— Ah, compreendo. Vamos gelar o sol para derreter as brasas! — disse ele.

— Er… não é bem isso… — Jasmine tentou.

O rei parecia muito confuso.

— Por que não paramos e descansamos um pouco, senhor? — sugeriu Trixi. — Aí eu explico.

Ela ergueu as sobrancelhas mínimas para as garotas.

— Vocês vão na frente. Isso aqui pode demorar um pouquinho — sussurrou.

As três amigas deram risadas e correram na frente com os duendes para colocar o plano em ação. Só que, durante a corrida, elas iam ouvindo, atrás delas, o rei Felício ficar cada vez mais confuso.

– Vamos ter que derreter o sol com patins de gelo... Não, colocar o sol nas brasas infinitas... Não... Puxa vida. Nunca vou entender esse negócio!

Uma corrida contra o tempo

Quando as meninas e os duendes chegaram à praça do vilarejo, já tinham um plano pronto.

Primeiro, Summer se colocou na frente de todos e explicou sua ideia de criar uma grande lente de gelo. Depois, Jasmine enviou

equipes de duendes para visitar todos os cafés e iglus na Montanha Mágica, reunir todas as brasas infinitas das lareiras e dos colares e levar tudo para a praça. Por fim, Trixi e as meninas levaram outro grupo de duendes para o Lago de Patinação no Gelo a fim de preparar a lente de gelo.

— Como vamos cortar um pedaço tão grande de gelo? Você consegue fazer isso com sua mágica, Trixi? — perguntou Ellie a caminho do lago.

— Isso é tarefa para os duendes — respondeu a fadinha. — Eles conseguem esculpir e modelar o gelo, vocês esqueceram? Só esperem para ver.

Quando o grupo alcançou o Lago de Patinação no Gelo, todos os duendes próximos, exceto Nevasca, se organizaram em um círculo ao redor da margem congelada.

Muito sério, Nevasca prendeu um par de patins nos pés e deslizou pelo gelo. Patinou em um círculo e foi vincando um corte profundo na superfície.

Os duendes nas margens começaram um canto baixinho que lembrava a neve caindo. Ouviu-se o estalo de uma rachadura, o disco de gelo se separou do lago e subiu no ar. O gelo girou e girou, mudando de forma, até

que estivesse curvado dos dois lados, como uma lente de aumento.

Trixi apontou o anel para a lente de gelo, e a placa começou a flutuar devagarinho na direção da praça do vilarejo.

— Eu queria poder fazer coisas de gelo desse jeito! — Ellie disse a Nevasca, admirada, quando todos eles partiram para a cidade.

— É uma mágica especial de duende da neve — explicou Nevasca, orgulhoso. — Vocês são as primeiras humanas a ver a gente fazer isso!

Quando eles voltaram para o centro do vilarejo, as meninas ajudaram o resto dos duendes a empilhar os últimos carvões em um monte no meio de uma grande mancha de luz do sol projetada por entre o buraco na nuvem.

— Por acaso aquele buraco está parecendo menor para vocês? — perguntou Jasmine, apertando os olhos e olhando para cima.

– Está sim. A mágica do cristal do clima deve estar acabando – respondeu Summer, enrugando a testa de preocupação.

– A lente de gelo está aqui! – exclamou Ellie ao correr para junto das amigas.

Trixi apontou o anel para a lente de gelo flutuante e a movimentou no ar até que pairasse entre o sol e a pilha de carvão.

Summer acenou com os braços para orientar Trixi. Elas precisavam posicionar a lente exatamente no lugar certo, ou o plano não funcionaria. Viraram um pouquinho para a esquerda, depois, um pouquinho para a direita, empinaram e abaixaram, mas parecia que não iam conseguir fazer os raios de sol criarem um foco sobre os carvões.

Todos os duendes se amontoaram olhando para o buraco da nuvem, lá no alto, que ficava menor a cada minuto. A qualquer

momento, a mágica do cristal do clima passaria e a nuvem de neve cobriria o sol de novo!

— Vamos, vamos! — entoou Nevisco, pulando no lugar, desejando que a lente apanhasse o sol.

— Isso é demais para mim! — gemeu o rei Felício. Ele se sentou na neve e cobriu os olhos. Sua coroa caiu da cabeça e pousou virada para baixo sobre a neve rosada ao seu lado.

De repente, Ellie viu um lampejo de luz quando a lente focalizou os raios de sol por um instante.

— Aí atrás! — ela gritou para Trixi e Summer. — Um pouquinho para a esquerda!

Quando Trixi inclinou a placa de gelo para a esquerda, a luz do sol finalmente formou um grande feixe no centro. O sol se concentrou nos carvões e os banhou de calor.

– Olhe, rei Felício! Está funcionando! – exclamou Jasmine.

Bem quando ela terminou de falar, houve um ruído suave. Um brilho vermelho forte apareceu no topo da pilha. Era a primeira brasa acesa!

Outro estalo seguiu, depois outro e mais outro. Agora todas as brasas da parte de cima estavam brilhando quentinhas. Os barulhinhos crepitantes continuaram conforme mais e mais brasas ganhavam vida. Os duendes ficaram entusiasmados e dançaram ao redor da pilha, esticando seus dedinhos cor-de-rosa para sentir o calor.

Trixi voou, toda contente, ao redor da pilha algumas vezes, com as mãos estendidas no ar cálido. Quando já estava aquecida, a fada voltou e pairou ao

lado do rei Felício e das meninas. Depois, deu uma batidinha no anel e fez aparecer uma grande xícara cheia de chocolate quente fumegante para cada um. Cada xícara tinha dentro um marshmallow mágico e cintilante, do tamanho de um bolinho!

– Hum, exatamente o que eu queria – suspirou Ellie. Depois de dar um gole na caneca, ela lambeu o bigode de chocolate que ficou acima do lábio.

– Ahhh – suspirou o rei alegremente, bebericando seu chocolate quente.

A essa altura, com o calor, a pilha de brasas estava reluzindo em tons de vermelho e amarelo.

– Olhem só! As renas estão voltando! – falou Summer, apontando para o céu da tarde.

A magnífica manada voadora fez um voo rasante sobre a pilha de brasas, para aquecer as barriguinhas. A pelagem brilhosa reluziu na luz vermelha e amarela.

— Cuidado! Na montanha! — disse uma delas ao dar um mergulho no ar.

— O que você quer dizer? — perguntou Jasmine, elevando a voz, mas a rena já tinha voado para longe.

As meninas ouviram um último ruído vindo da pilha quente, era a última brasa que se acendia. Em seguida, um barulho enorme ecoou por todo o vale.

— O que foi isso? — Ellie perguntou aos amigos, cobrindo as orelhas para protegê-las do som que reverberou pelos iglus e paredes do palácio de inverno.

— Acho que foi o relâmpago da rainha Malícia que se partiu! — disse Jasmine, correndo até o lago para olhar.

Ellie, Summer, Trixi e os duendes foram atrás dela. Quando chegaram ao ponto onde antes estava o relâmpago, tudo o que podiam ver eram estilhaços pretos muito pequenininhos espalhados sobre a neve rosada.

— Quebramos o feitiço! — berrou Jasmine.

Um grito ecoou da multidão de duendes. Todos se abraçaram e depois foram até a pilha para pegar seus colares.

Nevasca deu colares a Jasmine, Summer e Ellie, e as meninas os colocaram ao redor do pescoço com um sorriso, pois sentiram o calor da brasa aquecê-las de imediato.

– Viva! – sorriu Nevasca. – Obrigado, Summer, Ellie e Jasmine!

Todos os duendes começaram a comemorar de novo.

De repente, os vivas foram abafados por um horrível coro de gargalhadas. O ruído parecia vir do alto da montanha.

Quando todos olharam para cima, viram um grande grupo de Morceguinhos da Tempestade descendo em pranchas na direção deles e segurando baldes cheios de água.

– O relâmpago pode ter se quebrado, mas a gente não vai desistir! – gritou um dos morceguinhos lá de cima.

– É isso mesmo! – disse outro. – Vamos molhar essas brasas infinitas e apagá-las de uma vez por todas!

Os morceguinhos deram risadas estridentes enquanto desciam velozes rumo à praça da cidadezinha, com os baldes prontinhos nas mãos.

– Ah, não! – Nevisco gritou. – Se as brasas se molharem antes de atingirem a temperatura máxima, nunca mais vamos conseguir acendê-las!

Morceguinhos esquiadores

— Não se preocupem. Deixem que eu cuido disso — disse Nevasca, sorrindo. Ele pegou um monte de neve e, antes que as meninas tivessem tempo de dizer alguma coisa, havia uma pilha bem arrumadinha de bolas de neve no chão. Nevasca pegou uma delas, lançou no morceguinho mais próximo e o atingiu bem no nariz!

– Boa ideia! – riu Summer, jogando uma das bolas de neve em um morceguinho que passou por ali.

Todos começaram a pegar bolas de neve e a arremessá-las nos morceguinhos. Até mesmo Trixi entrou na briga, usando sua mágica de fadinha para disparar bolas voadoras na mira das criaturas horríveis e atingindo três delas com um único jato do anel!

Nevisco deu um assobio e, segundos mais tarde, a manada voadora de renas pousou na praça. Ele e alguns outros duendes correram até os animais e pularam nas costas deles.

— Vamos! — Nevisco chamou as garotas.

— Acho que vou ficar em terra firme — replicou Ellie, negando com a cabeça e lançando uma bola de neve ao mesmo tempo.

Summer e Jasmine jogaram mais uma bola cada uma e então correram para as renas que esperavam.

— Meninas, podem subir — uma das renas disse à Summer, com um sorriso.

— Eu agradeço! — sussurrou a garota, acariciando delicadamente o focinho macio. Ela subiu depressa nas costas da rena e enlaçou os braços em seu pescoço.

— Isso vai ser incrível! — disse Jasmine ao subir no lombo de outra rena.

Nevasca fez outra pilha de bolas de neve e deu um pouco para cada um, antes de subir em uma rena.

— Vamos! — ele chamou.

As renas correram pela estrada e então, de repente, levantaram da neve e subiram no ar!

— Estamos voando! — Summer disse, num gritinho. Ela se agarrou à rena enquanto voavam sobre os morceguinhos esquiadores.

— Tomem essa! — gritou Jasmine, cheia de entusiasmo, ao jogar várias bolas de neve no Morceguinho da Tempestade logo abaixo.

– E essa! – acrescentou Summer, voando próximo.

O morcego soltava uns guinchos ao ser atingido pelas bolas de neve que vinham de todas as direções.

Ellie viu sua chance e lançou um ataque surpresa pela frente, acertando uma bola de neve bem na barriga dele.

– E ESSA! – berrou triunfante.

O morceguinho caiu para trás e derrubou o balde, o que fez a água espirrar para todos os lados.

– Ai! – ele gemeu coberto de neve.

– Saia da minha frente, Orelhas Grandes! – gritou outro morceguinho que estava esquiando atrás dele.

– É você que está na minha frente, Calção Fedido! – retrucou o primeiro morcego.

Só que o morcego na prancha de esqui estava indo rápido demais para conseguir

parar, por isso caiu em cima do que estava no chão! O balde de água voou alto no ar e aterrissou na cabeça do morcego orelhudo.

Diante dos olhos das meninas, os dois morceguinhos começaram a rolar colina abaixo, numa confusão de braços e pernas magrelos e cinzentos, acumulando cada vez mais neve, conforme desciam.

– Aaah! – gritou outro morceguinho quando a bola de neve gigante pegou velocidade atrás dele. Desesperado, ele tentou manobrar a prancha para desviar, mas também foi pego.

A bola de neve continuou a despencar pela encosta da montanha, rolando sobre os morceguinhos. Aos poucos, ela começou a diminuir a velocidade ao cruzar a pracinha da cidade, e então parou a poucos metros da pilha de brasas infinitas.

Ellie, Trixi, o rei Felício e os duendes deram vivas. As renas de Summer e Jasmine voaram em círculos para comemorar, depois aterrissaram delicadamente. Summer, Jasmine e Nevasca correram para se juntar aos outros, e suas faces estavam coradas pelo entusiasmo.

– Incrível! – Summer sorriu. – Até que enfim, conseguimos parar aqueles morceguinhos chatos!

As meninas olharam para as criaturas. Estavam imóveis, ainda deitadas em meio a uma pilha de neve, parecendo muito zonzas.

– Deixem com a gente, eles não vão mais nos incomodar – disse Nevasca, com um sorriso.

Ele e os outros duendes da neve foram até os morceguinhos, formaram um círculo em volta deles e começaram a cantar baixinho de novo. De repente, todos os morceguinhos ficaram imóveis e pingos de gelo rosado começaram a se formar nos narizes e nos dedos ossudos.

– Vamos transformá-los em estátuas de gelo por um tempinho – disse Nevasca às meninas. – Isso não vai machucá-los, mas deve impedir que aprontem mais travessuras!

Na mesma hora, elas ouviram um grito penetrante vindo do alto da montanha. As meninas olharam naquela direção e viram um vulto escuro lá em cima. Era o trenó de

lobos da rainha Malícia. Ela estava na parte de trás, sacudindo o punho fechado, furiosa.

— Fiquem sabendo que essa não é a última vez que vocês vão me ver, nem meus relâmpagos! – ela gritou com uma voz estridente. – Vou arruinar toda a diversão no Reino Secreto, esperem para ver!

E com isso, a rainha bateu o cetro de relâmpago no chão e o trenó de lobos saiu em disparada.

Nesse momento, tudo ficou escuro, e gordos flocos de neve rosada começaram a cair do céu.

– A nuvem de neve! – exclamou Ellie, apontando para o céu.

Os outros olharam para o alto bem a tempo de ver o vão no meio da nuvem se fechar. O encanto do cristal do clima havia se quebrado, e agora a terrível nuvem de neve da rainha Malícia tinha encoberto totalmente o sol.

– Rápido. Temos que levar as brasas de volta para as casas e mantê-las quentinhas! – disse Summer.

Ellie, Jasmine e Summer correram de um lado para outro pelo vilarejo, ajudando

os duendes a colocar uma brasa infinita em cada casa e em cada lampião perto do Lago de Patinação no Gelo. O gelo rosado brilhava com uma luz suave, e Ellie, Jasmine e Summer ficaram observando a neve cair.

– Agora não tem problema se fizer muito frio – Summer disse, alegre. – As brasas infinitas vão manter todo mundo aquecido e confortável!

Nevisco correu até elas com um sorriso no rosto.

– Todas as brasas estão nos devidos lugares. Meninas, vocês gostariam de ir a um café bola de neve para comer alguma coisa? – convidou.

Ellie, Summer e Jasmine se entreolharam e sorriram.

– Sim, por favor! – disseram todas ao mesmo tempo.

Logo as meninas estavam aconchegadas em um café bola de neve, sentadas perto de uma lareira cheia de brasas infinitas e comendo pudins especiais de sorvete quente, que foram magicamente assados nas brasas.

– Olhem! – disse Ellie, apontando lá fora.

Os Morceguinhos da Tempestade haviam derretido e estavam dando pulinhos no lugar, esfregando os braços e tentando se aquecer. Enquanto as meninas observavam, um deles colocou a língua para fora e cuspiu uma framboesa neles.

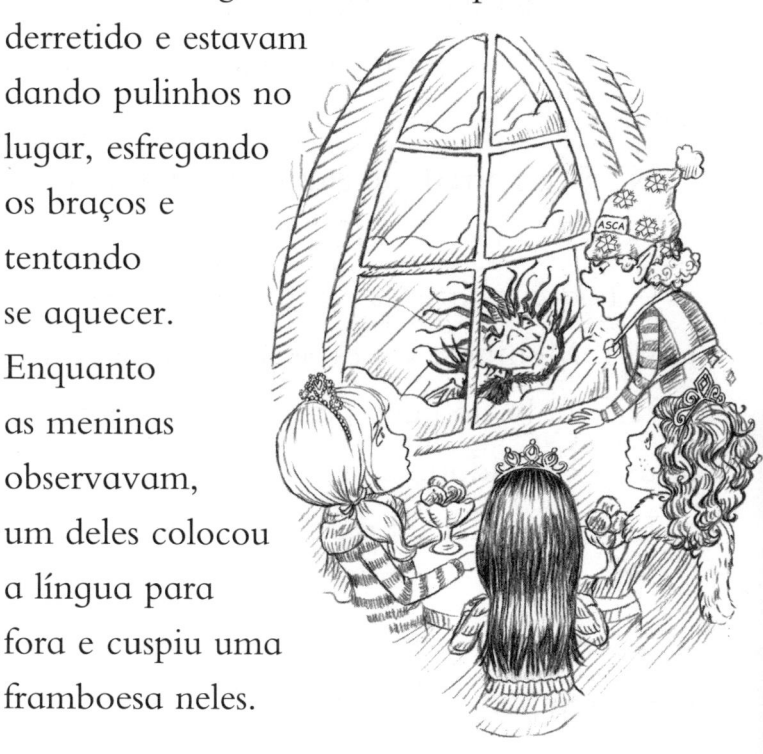

Trixi suspirou.

– Parece que não aprenderam a lição. Continuam tão travessos e sem educação como sempre!

Todos se reuniram ao redor da janela e observaram os morceguinhos baterem as asas e voarem.

– Parou de nevar! – Nevasca reparou, apontando lá para fora. – Vamos sair para brincar na neve!

Animados, os duendes deram um salto e correram para fora.

– Venham, meninas! – chamou Nevisco ao seguir para a porta. – Agora podemos mostrar a vocês toda a verdadeira magia da Montanha Mágica!

Diversão na neve

Summer fitava a paisagem ao seu redor com admiração. Mal tinha parado de nevar e, para onde quer que ela olhasse, já havia duendes andando de trenó, esquiando e deslizando de prancha!

— Eles estão se divertindo muito! — ela disse e abriu um sorriso.

— Isso tudo foi graças a vocês, que agora podem curtir a Montanha Mágica com a gente! — respondeu Nevisco.

— Você não disse que queria descer nos escorregadores de gelo? — Trixi perguntou à Jasmine.

— Ah, sim, claro! — Jasmine respondeu, animada.

— Então venham com a gente — chamou Nevasca, seguindo com Nevisco na frente, para levar as meninas a um teleférico com bancos engraçados, pendurados nos cabos.

— Esse teleférico vai nos levar ao topo dos escorregadores — explicou o duende, apontando para os bancos, que seguiam devagar montanha acima. Ele e Jasmine subiram no primeiro e foram levados.

— Iupiii! — gritou Jasmine assim que o assento começou a levá-los montanha acima.

Nevisco e Ellie sentaram-se no banco seguinte e Summer, no outro, com o rei Felício. Logo estavam todos sendo levados montanha acima para os escorregadores de

gelo, que davam voltas na encosta, num ziguezague gigante.

— Minha nossa — murmurou Ellie, quando percebeu como estavam alto.

— Não se assuste — disse Nevisco assim que alcançaram o topo e saltaram do teleférico. — Você só precisa sentar no escorregador e deslizar até lá embaixo. É divertido!

– Uhuuu! Aqui vou
eu! – riu Jasmine, pulando
direto no escorregador e
tomando impulso.
Na sequência,
Nevasca passou
muito depressa e
foi seguido por
Ellie, que estava
agarrada firme
a Nevisco.

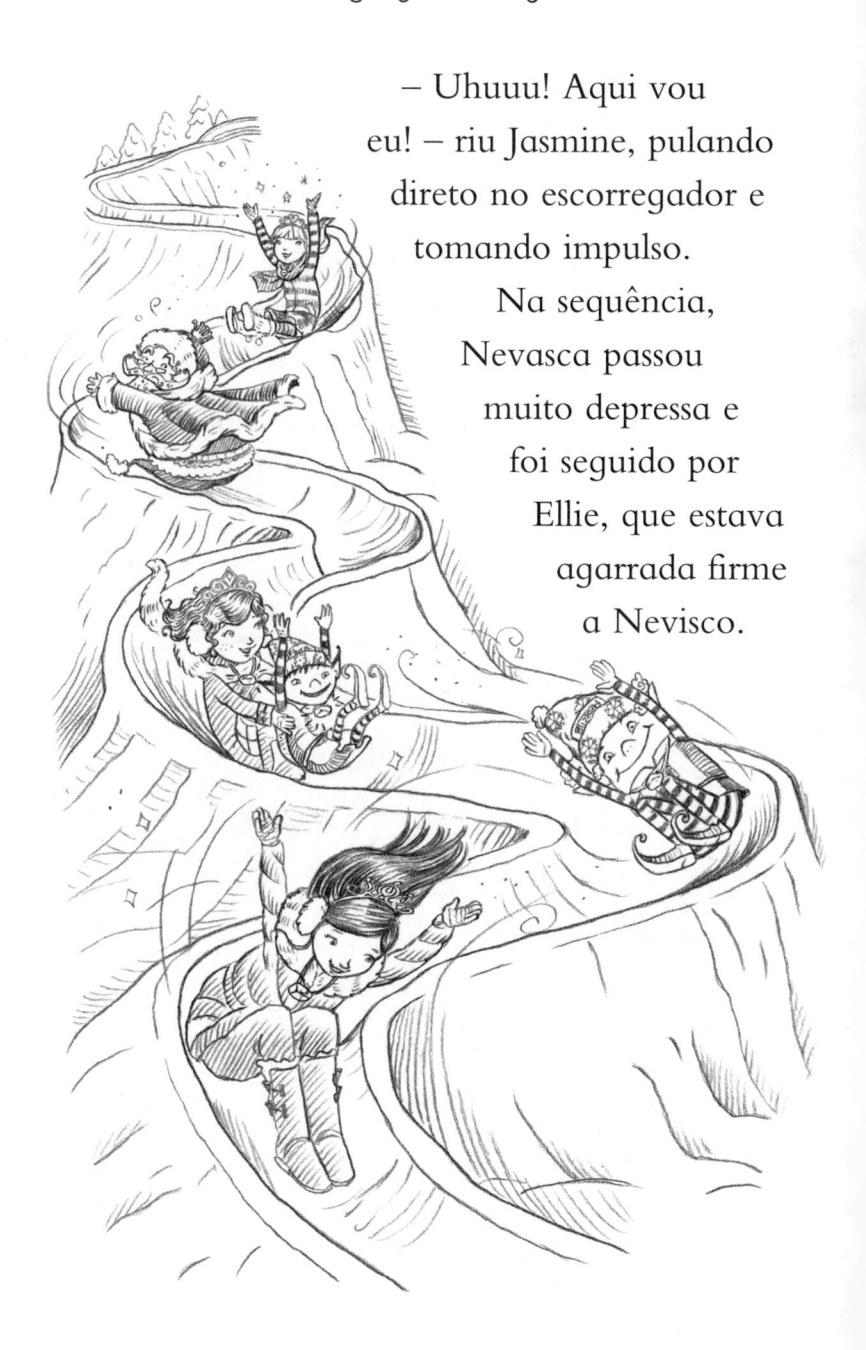

O rei Felício perdeu o equilíbrio quando estava se sentando e acabou descendo o escorregador de costas. Summer veio logo atrás dele, morrendo de rir.

Depois da descida, Jasmine deitou-se de costas na neve cor-de-rosa e abriu e fechou os braços e pernas várias vezes para criar o desenho de um anjo no chão.

– Eu queria brincar na neve todos os dias! – disse alegremente.

– Ah, acho que eu não conseguiria. Foi muito legal visitar a Montanha Mágica, mas eu prefiro ficar quentinha – comentou Ellie.

– Eu adoro todos os lugares no Reino Secreto – disse Summer. Em seguida deu um grande bocejo. – Mas agora tudo o que eu quero é voltar para a minha cama.

Trixi olhou para o sol, que se escondia lentamente no horizonte.

– Sim, acho que é hora de vocês voltarem para casa – ela concordou.

– Acho que é mesmo... – disse Jasmine, relutante. – Será que vamos poder voltar para cá logo?

– Com toda certeza, eu espero que vocês voltem – respondeu o rei Felício, balançando a cabeça com tanto entusiasmo que sua coroa escorregou e cobriu um olho. – Não sei como eu derrotaria minha irmã assustadora sem vocês!

O rei se levantou e abraçou cada uma das meninas, e Trixi deu-lhes um beijinho na ponta do nariz.

De repente, Nevasca pigarreou para chamar a atenção dos outros. Todos se viraram e olharam para o pequeno duende, que ficou inteiro vermelho.

Então Nevisco deu-lhe um cutucão, e ele estendeu os braços para Summer. Ele estava com uma ampulheta de gelo rosado nas mãozinhas.

– Ah, hum... – disse Nevasca, que se sentiu um pouco mais corajoso ao ver que todos sorriam para ele.

– O rei Felício concordou que a gente desse isso aqui para vocês,

como um presente de agradecimento. É uma ampulheta de gelo. Ela congela o tempo por alguns instantes.

– Desse jeito – disse Nevisco, pegando a ampulheta das mãos do amigo e virando-a de cabeça para baixo. Imediatamente tudo ficou congelado no lugar. Nevisco tirou o gorro de Nevasca e colocou-o ao contrário. Quando Nevisco virou a ampulheta de novo, tudo descongelou.

– Ei! – reclamou Nevasca, percebendo que seu gorro estava invertido.

As meninas deram risada.

– Obrigada! – disse Jasmine, ao pegar a ampulheta. – Tenho certeza de que vai ser útil durante nossas aventuras.

Ellie, Summer e Jasmine se despediram de todos e então Trixi deu uma batidinha no anel.

Um redemoinho mágico começou a se formar em volta das meninas e as levou dali enquanto os duendes se despediam com acenos.

Quando elas abriram os olhos de novo, tudo estava escuro. As roupas de inverno tinham sumido e elas sentiram os sacos de dormir debaixo de seus pés descalços.

Summer pegou a Caixa Mágica da prateleira e colocou-a sobre a cama. Com um rodopio de luzes cintilantes, a caixa se abriu, revelando seis compartimentos internos. Jasmine colocou a ampulheta, com todo cuidado, dentro do espaço ao lado do cristal do clima. Coube direitinho!

Summer se levantou de novo para colocar a caixa na prateleira.

– Que aventura maravilhosa nós tivemos – suspirou, entrando debaixo do edredom, sentindo-se muito cansada.
– E agora só falta um relâmpago para a gente encontrar. Aonde vocês acham que vamos da próxima vez, meninas?

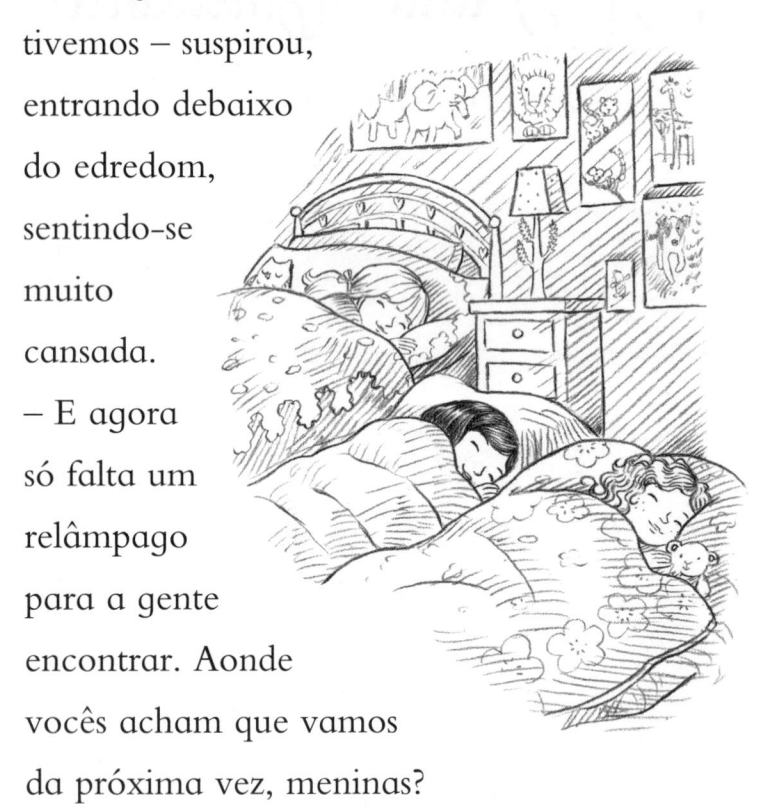

Mas não houve resposta das amigas. Elas já estavam dormindo.

Na próxima aventura no Reino Secreto,
Ellie, Summer e Jasmine vão visitar

A Praia Cintilante

Leia um trecho...

Começa a aventura

– Oi, mãe, cheguei!

Ellie Macdonald entrou correndo na cozinha vazia pela porta dos fundos. Tirou a mochila dos ombros e a colocou no chão com cuidado. Afinal, havia uma coisa muito especial lá dentro! No fundo, enrolada no agasalho do uniforme, estava uma misteriosa caixa de madeira.

Quando abriu a mochila, Ellie sentiu uma onda de ansiedade. Ela e suas melhores amigas, Summer e Jasmine, eram as únicas que sabiam que a caixa era muito mais do que um simples porta-joias, pois ela tinha sido feita pelo governante de uma terra mágica chamada Reino Secreto, onde viviam criaturas incríveis como fadas, sereias, unicórnios e duendes. Era um lugar maravilhoso, mas estava passando por problemas terríveis.

Quando todos naquela terra decidiram que desejavam o bondoso rei Felício como governante, em vez de sua irmã horrível, a rainha Malícia lançou seis relâmpagos que caíram em diferentes partes do reino. Cada um deles tinha o poder de criar problemas e trazer grande infelicidade. Ellie e suas amigas tinham prometido ajudar a deter

a desagradável rainha. Sempre que um relâmpago causava confusão ao Reino Secreto, um enigma aparecia na tampa da Caixa Mágica para dizer às meninas onde a presença delas era solicitada. Quando resolviam o enigma, Ellie, Summer e Jasmine eram levadas ao reino para tentar ajudar. As três amigas já tinham vivido cinco aventuras maravilhosas, e Ellie mal podia esperar que a magia entrasse em ação de novo!

Esperançosa, Ellie tirou a Caixa Mágica da mochila e observou os entalhes incríveis que cobriam as laterais, e as pedras preciosas reluzentes que decoravam a tampa espelhada. Se ao menos a tampa começasse a brilhar, era sinal de que havia chegado a hora de Ellie e suas amigas voltarem ao Reino Secreto. Porém, tudo o que a garota

via era seu próprio reflexo e seus cachos avermelhados caindo ao redor do rosto.

Ellie suspirou e, com cuidado, levou a caixa pelo corredor. Avistou a mãe pela janela, arrumando as cestas suspensas no jardim da frente, e saiu de fininho em direção às escadas, segurando firme a Caixa Mágica.

– GRRRRR! – com um grito alto, Molly, a irmã mais nova de Ellie, saltou do lado do aparador onde havia se escondido.

Ellie quase deixou a caixa cair com o susto que levou.

– Molly!

A pequena deu gritinhos de viva, toda contente.

– Eu fiz você pular, Ellie!

Molly tinha quatro anos e era igualzinha à Ellie quando tinha a mesma idade, com cachos ruivos que chegavam aos ombros e olhos verdes travessos. Ela adorava pregar peças na irmã mais velha.

– O que é isso? – perguntou, curiosa, ao avistar a caixa nos braços de Ellie.

– Nada.

– Quero ver! – Molly tentou olhar.

– É só uma caixa velha, Molly – respondeu Ellie, mais que depressa.

A última coisa que ela queria era Molly olhando a Caixa Mágica! Ali dentro havia seis compartimentos de madeira, e cinco deles estavam preenchidos com os objetos especiais que Ellie e as amigas tinham reunido em suas aventuras. Havia um mapa mágico do Reino Secreto; um pequeno chifre prateado de unicórnio que permitia à pessoa que o segurasse falar com os animais; um cristal de nuvem que poderia ser usado para controlar o clima; uma pérola que deixava a pessoa invisível; e uma ampulheta de gelo que poderia ser usada para congelar o tempo. Se Molly encontrasse essas coisas, iria querer saber de onde tinham vindo, e as três amigas não podiam contar a ninguém sobre o Reino Secreto!

Ellie levantou a caixa acima da cabeça de sua irmã e a colocou sobre o aparador. Em seguida, com um salto para frente, começou a fazer cócegas em Molly para distraí-la.

Molly gritou e deu um empurrãozinho na irmã mais velha.

– Ellie, pare!

Ellie fez mais cócegas.

– Não! Eu sou o monstro das cócegas, vim pegar você! – brincou ela, perseguindo Molly pelo corredor.

Molly riu e deu gritinhos.

– Aiii, aiii... *hic!* – um soluço alto escapou e as duas irmãs desataram a rir.

A porta da frente se abriu e a Sra. Macdonald olhou para dentro.

— O que está acontecendo, meninas?

Molly mal conseguia segurar os risinhos.

— A Ellie estava fazendo cócegas em mim, mamãe, e agora eu fiquei com... Fiquei com... *hic!*

— Soluço — Ellie completou, sorrindo.

— Ai, Molly — a Sra. Macdonald sacudiu a cabeça. — Venha, vamos pegar um pouco de água. Você teve um bom dia na escola, Ellie? — perguntou a mãe, por cima do ombro, enquanto levava Molly.

— Tive um ótimo dia, obrigada, mãe. Só quero ficar no meu quarto um pouquinho.

Ellie apanhou a Caixa Mágica e correu escada acima.

Leia

A Praia Cintilante

para descobrir o que acontece depois!

Perfil
Trixibelle

(também conhecida como Trixi)

Personalidade:
Animada e prática.
Trixi sempre está pronta
para ajudar o rei Felício,
e Summer, Jasmine
e Ellie também!

**Lugar favorito
no Reino Secreto:**
A Praia Cintilante, onde,
uma vez por ano, a areia se
transforma em pó cintilante.

Teste da amizade

Summer, Ellie e Jasmine são amigas desde que eram pequenas, e fizeram muitos amigos no Reino Secreto. Mas se você fosse ao Reino Secreto, quem seria seu melhor amigo? Faça o teste para descobrir!

Você prefere que seus amigos sejam...?

A – gentis.
B – mágicos.
C – maus.

O que você gostaria de fazer com seu melhor amigo?

A – sentar-se num trono confortável.
B – lançar encantos.
C – jogar relâmpagos horríveis nas pessoas.

Se seu melhor amigo tivesse medo de alguma coisa, do que seria?

A – sapos fedidos.
B – não poder proteger os amigos.
C – nada, porque todo mundo tem medo dela.

Que lugar você gostaria de visitar com seu amigo?

A – um lugar lindo e encantado.
B – uma praia cintilante.
C – um castelo sombrio e assustador.

Se seu melhor amigo tivesse um passatempo preferido, qual seria?

A – inventar geringonças mágicas.
B – ajudar os amigos necessitados.
C – deixar as outras pessoas tristes.

Mais letras A:
Seu melhor amigo é o rei Felício! O rei precisa de muitos cuidados, mas ele é um melhor amigo muito bondoso. E tem um reino inteiro onde você pode brincar!

Mais letras B:
Sua melhor amiga é a Trixi! Ela é uma melhor amiga que ajuda a todos e pode usar sua mágica de fadinha para conseguir tudo o que você precisar!

Mais letras C:
Sua melhor amiga é a rainha Malícia! Você pode se divertir muito com ela, isto é, se gostar de deixar as pessoas infelizes!

O Reino
Secreto

O Reino Secreto

Livro 6

CB019037